Ingo y Drago

Mira Lobe

ediciones **sm** Joaquín Turina 39   28044 Madrid

Colección dirigida por **Marinella Terzi**

Primera edición: abril 1984
Decimoquinta edición: junio 1993

Traducción del alemán: *Marinella Terzi*
Ilustraciones: *Susi Weigel*

Título original: *Ingo und Drago*
© Verlag Jungbrunnen, Viena-Munich, 1975
Ediciones SM, 1984
Joaquín Turina, 39 - 28044 Madrid

Comercializa: CESMA, SA - Aguacate, 25 - 28044 Madrid

ISBN: 84-348-1308-4
Depósito legal: M-15499-1993
Fotocomposición: Secomp
Impreso en España/Printed in Spain
Orymu, SA - Ruiz de Alda, 1 - Pinto (Madrid)

EL SETO estaba al final del parque, donde ya no había flores, ni caminos, ni bancos. Sólo crecían unas matas altísimas como en una selva.

Ingo se metió entre los arbustos para buscar su pelota. La había perdido en el seto mientras jugaba con ella.

—¡Eh, pelota! —llamó—. ¡No te escondas!

Se metió aún más entre el ramaje. Una hormiga le hizo cosquillas en la pierna. Las espinas de una rama le arañaron la cara. No había rastro de la pelota.

«¡No se puede esfumar así como así! —pensó Ingo—. Y, encima, ¿qué me dirá mamá si llego a casa sin ella? "Pero, ¿es que siempre tienes que perderlo todo? ¿Con qué vas a jugar ahora?", me preguntará enfadada. Y mi hermana Mara dirá: "¡La mía ni se te ocurra tocarla!"».

Ingo siguió buscando. Se tiró al suelo y se arrastró como pudo por debajo de unas ramas. Hasta que comprendió que todo era inútil.

«¡La pelota ha volado! La dejo por imposible».

De repente, el seto se acabó. A continuación se extendía un verde prado. ¿Sería verdad lo que veían sus ojos? Normalmente, donde acababa el

seto estaba el muro gris de la fábrica. En cambio, hoy veía aquel prado cubierto de una hierba espesa y suave, brillando al sol. En medio se veía algo redondo y de colores.

—¡Es mi pelota! —exclamó Ingo. Pero enseguida dijo—: No, no es. No tiene los mismos colores ni la misma forma. Esto parece un huevo.

Corrió hasta aquel objeto y lo levantó. Era grande, pesado, y al tocarlo lo notó caliente a causa del sol. La cáscara tenía unos colores preciosos, mucho más bonitos que los de su pelota.

—¡Hola, huevo! —le dijo el mucha-

cho—. Te llevaré conmigo a casa. Ahora eres mío.

La vuelta no fue nada fácil, pues llevaba una mano ocupada. Por eso iba con cuidado, despacio, para que no le pasara nada al huevo. Las raíces y las ramas le cerraban el camino. Los espinos no le dejaban andar. Pero Ingo avanzaba tranquilo. Mientras, le hablaba cariñosamente a su huevo:

—No tengas miedo, yo te cuidaré. Éste es un seto horrible, pero pronto estaremos al otro lado. Te llevaré a casa, te haré un nido muy cómodo. Estarás de maravilla. Ya verás lo bien que vas a estar...

Cuando, al fin, dejaron el seto atrás, Ingo estaba cubierto de arañazos y se le habían enredado pequeñas ramas en el pelo. Llevaba la camisa fuera de los pantalones. Se la puso bien y guardó el huevo entre la camisa y la piel.

—Para que no te vea nadie —le dijo.

A continuación echó a correr por el parque. Aquello era digno de verse: ¡un niño desgreñado, agarrándose la barriga con las dos manos y hablando solo!...

Al pasar por la fuente, un chucho empezó a ladrarle. Era el perro de Miguel y Petra.

—¡Eh, Ingo! —gritó Miguel—. ¿Por qué corres como si te persiguieran? ¿Qué es ese bulto que tienes debajo de la camisa?

—¿Vas a tener un niño? —preguntó Petra.

Como Miguel y Petra eran amigos suyos, Ingo sacó el huevo y se lo enseñó. Lo encontraron hermosísimo y original, y querían saber dónde lo había encontrado. Y si quedaban más.

—No, sólo estaba éste —les respondió Ingo—. Lo encontré en el prado, detrás de los arbustos.

—Detrás de los arbustos hay un muro, no un prado —dijo Miguel—. Y detrás del muro, la fábrica.

Ingo negó con la cabeza:

—Hoy había un prado, y en la hierba estaba este huevo.

—¿Qué vas a hacer con él? —preguntó Petra.

—Lo empollaré.

—¿Lo dices en serio?

—¡Y tan en serio!

Miguel y Petra no pudieron contener la risa. Ya se imaginaban a Ingo sentado día y noche sobre el huevo. Se rieron tan fuerte que el perro comenzó a ladrar.

Ingo volvió a guardar su huevo y dijo que debía marcharse a casa. Mañana por la tarde volvería al parque y traería el huevo.

CUANDO LLEGÓ a casa, llamó tres veces para que supiesen que era él. Su madre abrió la puerta. Cuando vio el huevo, se le olvidó preguntar por la pelota.

—¡Qué huevo más curioso! ¿Lo vas a guardar o lo llevamos a una pajarería?

—Me lo voy a quedar —contestó Ingo—. No es un huevo de pájaro.

—Pues, ¿qué animal crees que lo habrá puesto?

—Eso no lo sé.

Ingo llevó el huevo a su cuarto. Su hermana Mara estaba sentada junto a la mesa haciendo sus deberes. El muchacho se puso detrás de ella y la saludó muy amable. Mara se sorprendió tanto por el saludo de Ingo que le preguntó:

—¿Qué favor quieres pedirme?

—¿Me prestas tu viejo cochecito?

—¿Para qué?

Ingo no contestó. Le entregó el huevo y, sin esperar respuesta, cogió el cochecito que estaba en un rincón del cuarto. Hacía mucho tiempo que nadie lo usaba y estaba lleno de cachivaches. Ingo lo colocó todo en el estante: tres muñecas, una zapatilla de deporte, un teléfono de juguete, algunas fichas de dominó, lápices de colores, vías del tren eléctrico y la bruja del teatro de marionetas, que llevaba perdida una eternidad. Después fue hasta la cómoda y sacó del cajón de la ropa de invierno su bufanda roja y su gorro azul. Envolvió el huevo con la bufanda, lo puso en el gorro y lo metió todo en el cochecito.

Mara le miraba.

—Desde luego, gracioso sí que es el huevo —dijo la niña.

—¡No es gracioso, es precioso!

Ingo llevó el cochecito a la terraza. Lucía el sol. En las macetas brillaban las petunias rojas y amarillas. Ingo se sentó en una silla de mimbre, muy cerca de la barandilla. Apoyó el pie en el eje del coche y comenzó a balancearlo hacia delante y hacia atrás.

—¿Se puede saber qué haces? —preguntó Mara, que le había seguido hasta la terraza.

—Lo que hacen las mamás en el parque cuando sus hijos lloran.

—¡Pero tu huevo no está llorando! ¡Qué barbaridad!

Mara volvió a sus deberes. Ingo, por su parte, fue a buscar un libro que hablaba de los animales prehistóricos.

Era su tesoro más querido. Estaba lleno de ilustraciones de animales que habían vivido hacía millones de años. Pasó las hojas hasta encontrar las dedicadas a los huevos. Comparó los distintos modelos con el que asomaba por debajo de su gorro de lana. ¡Era un ejemplar milenario! Lo había sabido desde el primer momento.

Al atardecer, cuando ya refrescaba, Ingo tapó el huevo con la manta de las muñecas de Mara y entró de nuevo en su cuarto.

Se oyó la puerta de la casa. Papá volvía del trabajo.

—¡Buenas tardes a todos! —gritó.

Mara corrió a su encuentro para contarle las tonterías de Ingo. Quería saber lo que pensaba su padre. ¿Qué se puede esperar de un niño que lleva a casa un huevo rarísimo y lo mete, envuelto entre ropa, en un cochecito de muñecas? ¡Tendría que prohibírselo!

El padre contempló el huevo. Le gustó. No le pareció mal que Ingo lo hubiera llevado a casa.

—No le quites las ilusiones —dijo a Mara. Y le tiró de una trenza.

16

Mara se enfadó y murmuró entre
dientes que a Ingo siempre le permi-
tían todo. ¡Como era el pequeño y

tenía aquellos ricitos castaños tan graciosos...! Ella, en cambio, no podía hacer nada. Ni siquiera le dejaban comerse dos helados seguidos...

—Tú sabes que eso no es cierto —contestó el padre—. Todas las noches te acuestas mucho más tarde que tu hermano.

En cuanto terminaba de cenar, Ingo tenía que dar las buenas noches e irse a la cama. Siempre buscaba alguna excusa para quedarse un poco más. Pero aquel día se fue a dormir sin rechistar. Puso el cochecito al lado de su cama y permaneció despierto con la luz apagada. Esperaba que llegara su hermana. Cuando al fin apareció Mara, Ingo ni se movió y siguió despierto.

Cuando estuvo seguro de que su hermana dormía, se levantó. Cogió el huevo con mucho cuidado y lo metió dentro de su cama para darle calor. Le hubiera cantado alguna canción de cuna, pero no se atrevió por temor a que Mara se despertara.

Tuvo que contentarse con meterse el huevo dentro de su pijama. Después

lo acarició y le prometió, entre su-
surros, que mañana, pasado y siempre
lo llevaría de paseo por el parque.

Ingo acostumbraba a dormir boca
abajo, pero ese día se puso de lado,
encogido como un erizo. Y colocó el
huevo en el hueco que quedaba entre
la cabeza y las rodillas.

A la mañana siguiente, durante el
desayuno, a Ingo se le abría la boca de
sueño.

—Parece que no has dormido esta
noche, Ingo —le dijo su madre.

—Claro, ha estado todo el rato hablando con su huevo —dijo Mara,
acusica.

Y mientras se hacía una trenza
añadió:

—¡El ridículo de Ingo, con su ridículo huevo!

El padre se fue a trabajar; Mara, al
colegio. Ingo se quedó en casa con
mamá.

Pasó la mañana tapando y desta-
pando el huevo. Lo llevó de una habitación a otra, de la cocina a la terraza,
de la terraza a su cuarto, de su cuarto
al salón, del salón al cuarto de sus

padres, y vuelta a empezar. Puso la radio para que el huevo escuchara música y le recitó una poesía de su libro de lectura. No importaba que aún no supiera leer. Lo había oído tantas veces que se lo sabía de memoria.

POR LA TARDE, Ingo cumplió su promesa y fue al parque con su huevo. Los niños que allí jugaban le rodearon y se rieron de que sacara un huevo de paseo.

En un momento le hicieron esta canción:

¡AL RUEDO, AL RUEDO,
INGO TIENE UN HUEVO!
¡SI PEGA UN TROPEZÓN
TENDRÁ SÓLO LOS TROZOS
DEL CASCARÓN!

Miguel y Petra eran los únicos que seguían callados. Se fueron con Ingo y pusieron las manos en el borde del cochecito; así todos notarían que eran amigos suyos. El perro saltaba a sus pies. Rodearon la fuente y, como los chicos no dejaban de perseguirlos con su «Al ruedo, al ruedo», Petra se dio la vuelta y les gritó:

22

Por fin, los niños dejaron de burlarse de ellos. A Ingo le gustó que Miguel y Petra le defendieran. Al fin y al cabo tenían motivos para estar enfadados con él. El día anterior, cuando él se marchó corriendo a casa, fueron hasta el seto y sólo encontraron el muro gris de siempre.

—Nos has engañado —le dijo Miguel—. Y eso que somos amigos tuyos.

—Pero no te lo tendremos en cuenta —añadió Petra.

Le acompañaron hasta su casa y quedaron para el día siguiente a la misma hora y en el mismo sitio.

Eso ocurrió el primer día. Luego vendrían el segundo, el tercero y el cuarto.

Por la tarde del quinto día, Ingo descubrió un agujero en la cáscara del huevo.

—¡Mara, mira! —gritó emocionado—. El huevo está a punto de abrirse.

—¿Sí? No me digas...

Y ni siquiera lo miró. Como sus padres habían salido, Ingo no pudo compartir su alegría con ellos. Se llevó el huevo a la cama, como todas las noches, e intentó aguantar despierto hasta que llegaran sus padres.

Pero estaba demasiado cansado y pronto se durmió.

D
E REPENTE, se despertó.

Su pijama estaba húmedo. Palpó el lugar donde debía estar el huevo y notó unos picos afilados. Algo blando y desconocido se movió.

—¿Estás ahí? —preguntó en voz baja.

Se destapó y saltó de la cama. Con los brazos estirados, como un sonámbulo, fue por la habitación oscura hasta la puerta, donde estaba el interruptor. Encendió la luz. Pero Mara armó tal escándalo que Ingo la apagó inmediatamente.

De todas formas, había visto bastante.

De su maravilloso huevo había salido algo repugnante. Un gusano blancuzco, que no paraba de temblar.

«¿Y si lo llevo a la terraza para que en un descuido se caiga a la calle?», pensó Ingo. Pero para eso tenía que tocarlo y no le hacía ni pizca de gracia.

Ingo siempre había tenido miedo a los gusanos y las serpientes, las babosas y las arañas.

Estaba en medio de la oscuridad y no podía volver a su cama. Le entraron ganas de llorar. El pijama mojado se le pegaba al cuerpo. Le castañeteaban los dientes. No sabía qué hacer.

Abrió la puerta con cuidado y se metió en el cuarto de sus padres. Su padre gruñó un poco. Su madre se despertó enseguida y le preguntó:

—Ingo, ¿te encuentras mal?

—¡Mamá... ya ha nacido! Pero es horrendo. Y está mojado. No me gusta nada.

Comenzó a lloriquear. Su madre se puso la bata y le consoló.

—Todos los recién nacidos son así, hazme caso. Tú tampoco eras muy guapo.

—¿No? —preguntó Ingo—. Pues, ¿cómo era?

—Tenías la cara roja como un tomate y la piel arrugadísima. El pelo te llegaba hasta la frente...

—Pero mi gusano... —se lamentó Ingo.

El padre dio media vuelta y roncó ligeramente.

—¡Chitón! —dijo la madre mientras cogía la linterna de la cómoda.

De puntillas se fueron los dos hacia la puerta.

—Pero mi gusano —continuó Ingo— no tiene cara. No sé dónde tiene la cabeza ni dónde tiene los pies. Y tampoco tiene pelo.

Se metieron en el cuarto de los niños.

Cuando lo vio mejor, gracias a la luz de la linterna, Ingo ya no lo encontró tan desagradable. Más bien le dio pena. Parecía tan desamparado...

Puso enseguida la mano sobre la linterna para no deslumbrar al animal.

A través de sus dedos, la luz era roja.

—¿Crees que puede ver? —cuchicheó.

—Seguro que tiene ojos, pero no sé si podrá ver. Ven, Ingo, vamos a la cocina —contestó su madre.

Y envolvió el gusano con la colcha de las muñecas.

En la cocina encendieron la luz y pudieron hablar en voz alta.

La madre extendió con cuidado la colcha sobre la mesa. A Ingo se le empezaba a quitar el miedo. La piel del animal estaba cubierta de escamas.

—Hay que bañarlo —decidió mamá—. Le sentará muy bien.

Ingo observó cómo su madre llenaba una palangana con agua caliente y después metía dentro el gusano. Parecía que estaba a gusto, porque se movía deprisa y sacaba uno de sus extremos por encima del agua.

—Ahora ya sabemos dónde tiene la cabeza —gritó Ingo contento.

Y mirándolo mejor, descubrió dos puntos negros: eran los ojos. Y dos bultos pequeñísimos de los que saldrían las orejas. Luego vio un agujero tan pequeño como la cabeza de una cerilla: la boca. Y en la barriga encontró cuatro pequeñas patas con uñas y todo.

—A lo mejor no es un gusano —dijo lleno de esperanza.

—¿Y si fuera un animal como tiene que ser? Con el tiempo puede que se vuelva guapo y todo.

—¡Seguro! —dijo su madre—. Tú también te has vuelto muy guapo.

Y sacó el animalito de la bañera para dárselo a su hijo.

Ingo no las tenía todas consigo, pero pronto estiró las manos y notó que las uñas del bicho le hacían cosquillas en la piel.

Le estaba cambiando el color. Después del baño era verde y azul y tenía la tripa rosa.

—Mira, ya se está volviendo guapo —dijo Ingo.

La madre asintió con la cabeza.

—Y ahora nos iremos todos a la cama. A tu amigo lo llevaremos a su nido, en el cochecito de muñecas. Tú te pondrás un pijama seco y luego me darás un beso, y a dormir. ¿Qué te parece?

A Ingo le pareció tan bien que le dio dos besos de golpe.

Mamá le arropó en su cama recién hecha, y entonces oyeron que el reloj del salón daba un montón de campanadas.

—¡Medianoche! —murmuró la madre—. Que duermas bien, Ingo.

—Igualmente.

Y esperó hasta que se cerrara la puerta. Entonces acercó el cochecito hasta su cama.

—Que duermas bien —le susurró.

CUANDO a la mañana siguiente Mara vio el animal, gritó:

—¡Puaff! ¡No soporto esa cosa asquerosa y repugnante!

—Ni falta que hace —le contestó Ingo—. Es mi mascota y no me importa que la encuentres asquerosa.

Tenía otras preocupaciones. Había que darle de comer. Seguro que mamá sabría lo que le convenía.

Ingo limpió las hojas más tiernas de una lechuga. Después masticó un trozo de plátano y lo escupió sobre las hojas. Y esperó. El animal se arrastró por encima de la mesa, probó la comida y se la zampó en un momento, con hojas de lechuga incluidas. Cuando acabó, comenzó a mover la cabeza hacia los lados hasta que Ingo le dio más comida.

Cuando ya no pudo más, Ingo lo cogió. Antes de que al chico le diera tiempo de meterlo en el cochecito, se enroscó y se quedó dormido en el hueco de sus manos.

Ingo lo tapó y se sentó al lado del coche. Era feliz.

—Tengo que ponerle un nombre —le dijo a su madre.

—¿Has pensado ya alguno?

Fue a buscar otra vez su libro. Había dos animales gigantescos que le gustaban mucho. Debajo de cada dibujo estaba su nombre.

—¡Se tiene que llamar como uno de estos dos! —dijo el niño.

—*Nyctosauro diplodocus...* Dragón volador...

—Ingo, me parece que esos nombres son demasiado largos y complicados...

—Sí, tienes razón. ¿Te gusta Drago?

Drago era un nombre corto y sonaba bien. ¡Ingo y Drago! Le gustaba.

Su madre estaba de acuerdo.

—Sí, pero fíjate bien: en tu libro el dragón tiene dos alas, y Drago no las tendrá nunca —le dijo.

—No, claro que no las tendrá —gritó Ingo asustado—. Si no, se me iría volando...

4

ESE DÍA Ingo se quedó en casa.
Drago comió, se bañó y durmió un
buen rato. Cuando se despertó, volvió
a comer, a bañarse y a dormir otro rato.

También se deslizó por la mesa de la
cocina y, al llegar al borde, dio media

vuelta. Ingo pensó que eso era muy inteligente por su parte, porque podría haber seguido y caerse al suelo.

—¡Eh, Drago! —le dijo—, me estoy dando cuenta de que eres muy listo. Muy... —y probó con una palabra nueva que había oído varias veces—: muy teligente.

—Inteligente —le corrigió su madre con una sonrisa. Se alegraba de que Ingo utilizara palabras nuevas.

—¿Yo también soy inteligente? —preguntó el niño.

—Claro que sí. Si tú te pasearas por encima de una mesa y llegaras a la orilla...

—Me tiraría al suelo —dijo Ingo—. Pero para Drago la mesa es tan alta como para mí una casa. Y yo jamás me tiraría desde una casa. Porque soy inteligente.

Drago comió, se bañó y durmió la siesta. Y así pasó la tarde en un abrir y cerrar de ojos. Ingo lo despertó y, cuando Drago se espabiló, lo sacó a la terraza soleada para que pudiera corretear por las jardineras.

A través de los barrotes de la barandilla, Ingo vio a papá que volvía a casa.

Salió a su encuentro en el rellano de la escalera.

—¡Papá, te tengo preparada una sorpresa!

Y colocó a Drago sobre la alfombra gris del salón. El animal se movía con mucha más dificultad por la alfombra que por la superficie lisa de la mesa. Drago avanzaba poco a poco con mucho esfuerzo. De repente, levantó el rabo y dejó tras él una mancha verde.

—¡Ay, no! —chilló Mara.

La madre fue a buscar un trapo y frotó la mancha. Pero a pesar de todos sus esfuerzos, quedó una sombra verduzca sobre la alfombra.

—Escúchame, Ingo —dijo el padre—, esta alfombra nos costó mucho dinero. Tu mascota no volverá a pisar el salón. Tendrá que quedarse en la terraza o en la cocina.

—¡Pero si es un miembro más de nuestra familia! —le contestó Ingo—. ¡No se le puede echar por una mancha de nada!

Mara se agachó al lado de Drago y señaló a su hermano con el dedo.

—Le tienes que enseñar a ser asea-
do —le dijo—. A los perros también
hay que acostumbrarlos.

Drago rodeó el dedo de Mara con
sus pequeñas patas e intentó levantarse. Sus ojos brillaban.

—Es tan dulce... —dijo el niño.

—¿Dulce? —Mara negó con la cabeza—. No. Lo que pasa es que ya no es
tan desagradable como esta mañana.
Ya no es ningún monstruo.

La niña cogió un trozo de salchicha
de los restos de la comida y se lo
acercó a la boca.

—¡Cómetelo, tienes que volverte todo un hombrecito!

Pero Drago no quería salchicha. Ni
salchicha, ni jamón, ni nada que se
pareciese a la carne. Sólo comía lechuga y plátanos.

Más tarde, cuando Ingo lo llevó a
dormir, su madre rebuscó en la cómoda un par de pañales viejos. También estaba el hule que tenía Ingo
en su cuna cuando era pequeño. Pusieron el hule sobre el colchón del cochecito y encima un pañal. Ingo dijo
aliviado:

—Ahora ya no importa que se haga algo encima.

Drago estaba ya medio dormido y no le molestó que lo empaquetaran entre hules y pañales.

La madre miró pensativa hacia el cochecito.

—Mara tiene razón. Tal vez podamos acostumbrarlo para que no deje sus «huellas» donde vaya...

Ingo prometió tener cuidado. Cada vez que Drago levantara el rabo, le pondría algo debajo. Un plato de juguete, por ejemplo.

—¡Pero, Ingo! —le dijo su madre—. ¡No puedes pasarte todo el día detrás de él!

—Sí, mamá, sí que puedo. ¡Por Drago haré lo que sea!

INGO HABÍA prometido demasiado. Al segundo día, Drago comió el doble. Las manchas se hicieron más frecuentes y mucho más grandes.

Ingo tenía siempre preparado el plato. Pero, en cuanto Drago notaba que

le intentaba meter debajo una cosa extraña y fría, bajaba el rabo y seguía su camino.

Por todas partes dejaba sus «huellas», menos en el plato.

Pronto ya no se contentaría con la mesa de la cocina. Se deslizaba impaciente por el borde de la mesa y, un día, dejó escapar un suave gruñido.

—¡Eh! —dijo Ingo con emoción—. ¡Drago puede hablar!

—¿Sí? ¿Qué dice? —le preguntó su madre, que en ese momento estaba fregando los cacharros, con un considerable «tris tras» de tazas y platos.

—Que quiere bajar de la mesa.

Drago ronroneó feliz cuando Ingo lo colocó en el suelo de la cocina. Después empezó a pasear. Al principio con recelo, pero luego se fue envalentonando. Correteó con la cabeza muy alta y de pronto se esfumó.

—¿Dónde se ha metido?

Ingo recorrió la cocina de lado a lado. Su madre también buscó. Revolvieron todo, hasta que oyeron un ronquido conocido que salía de la alacena. Ingo corrió hasta allí. La puerta estaba un poco abierta. Drago estaba sentado sobre una mancha verde en el estante de abajo, en medio de las cacerolas.

La madre suspiró:

—¡Escúchame, Ingo! Sabes que no tengo nada en contra de Drago. Pero, si sigue revolviendo entre los pucheros, no entrará más en la cocina.

Ingo llevó al culpable del delito a su cuarto y lo puso en el cochecito.

—¡Duérmete! —le dijo—. Cuando duermes no me creas tantos problemas.

Drago no tenía ganas de dormir, y

gruñó tanto tiempo y tan alto que a Ingo no le quedó más remedio que sacarlo de su cuna y dejarlo pasear por el cuarto.

¿HABRÍA alguna forma de seguir adelante? Si se ocupaba de Drago, a Ingo no le quedaba tiempo para hacer nada más.

No podía jugar con el tren eléctrico, ni tocar la flauta, ni pintar, ni hacer construcciones. El enorme dibujo de un barco permanecía inacabado sobre el escritorio, al lado del rompecabezas a medio empezar. A Ingo le llevaba todo el día dar de comer al animal, bañarlo y correr con el plato detrás de él para que no dejase manchas.

Poco a poco se fue cansando. Un día, Mara le invitó a pasear con ella y con su amiga Lina por la playa. A Ingo le hubiera gustado ir con ellas; pero tuvo que decir que no. No podía dejar solo a Drago.

Y cuando tía Katia fue a visitarlos,

45

al día siguiente, para convidar a merendar a su madre, a Mara y a él, tuvo que rechazar la invitación de nuevo. Le costó mucho, porque la idea era muy apetitosa. Con tía Katia no había que decidirse entre el helado o la tarta. Con ella se podían comer las dos cosas, porque «en el estómago de un niño hay lugar para todo», decía la tía.

Tía Katia era una mujer encantadora. Hablaba de forma distinta a la otra gente.

«Con más gracia», pensaba Ingo. Es que era extranjera.

Cuando Ingo le enseñó a Drago, tía Katia dijo:

—¡Es animal mucho particular! Tener un nombre bonito. ¡Drago! ¿Vosotros saber lo que significar? Quiere decir «querido», «que vale mucho».

Y acarició el morro del animal.

—¡Draguituko... querido pequeñín... cariño mío!

Después preguntó que quién iba a merendar con ella. Ingo dirigió una mirada suplicante a su madre, a ver si decía: «¡Vete tú, Ingo! Yo me ocuparé de Drago».

Pero lo único que dijo fue que no estarían demasiado tiempo fuera y que le traerían un bollo de crema.

—¡Todo por tu culpa! —murmuró Ingo cuando se quedó solo con Drago.

Lo llevó a la terraza, lo colocó sobre los azulejos y se entretuvo tirándole un coche de juguete. Pero a Drago no le gustaba el ruido que hacía. Cada vez que el coche se le acercaba, gruñía con fuerza y se paraba en seco.

—¿Prefieres que toque una canción? —le preguntó Ingo—. Espera, voy a buscar la flauta.

Pasó un buen rato hasta que volvió. Tuvo que sacar un montón de juguetes del cajón, hasta que encontró la flauta. Cuando salió a la terraza, Drago había desaparecido.

—¡Drago!, ¿dónde te has escondido?

La terraza no era muy grande. Había una mesa, dos sillones y una sombrilla. Entre barrote y barrote había un palmo de distancia. A Ingo le entró miedo: si Drago, a pesar de su inteligencia, se hubiese tirado por entre las rejas...

Apretó la frente contra las barras de

hierro y miró hacia abajo. No había nada. Sólo vio la calle vacía y soleada.

A lo mejor, Drago se había arrastrado hasta su cuarto y se había escondido allí.

—Draguituko, ¿dónde estás?

Ingo se tiró al suelo y miró debajo de todos los muebles.

Era como revivir el día en que buscaba la pelota en el seto... Drago estaba debajo de la cama, en el rincón más oscuro.

—¿Cómo es posible que me des estos sustos? —le riñó Ingo—. Aunque de ti me podría esperar cualquier cosa...

Pero entonces se dio cuenta de que, quizá, Drago necesitaba una cueva para él solo. Cogió una toalla del cuarto de baño y quitó con ella el polvo del rincón. Cogió de la cocina tres hojas de lechuga y medio plátano. También fue a buscar una pelota de ping-pong para que jugara.

—¿Te gusta? —le preguntó.

Drago ronroneó.

—¿Ves? —Ingo asintió contento—. Te prometí, cuando aún eras un huevo, que ibas a estar de maravilla.

A LA MAÑANA siguiente hubo jaleo.

La madre limpiaba la casa. Ingo estaba en el cuarto de aseo, bañando a Drago en el lavabo. La palangana se había quedado pequeña. Le gustaba cómo brillaban las escamas coloreadas de Drago y la fuerza de sus cuatro pequeñas patas al nadar por el agua.

—¡Ingo, ven aquí enseguida! —llamó su madre.

El chico corrió hasta su cuarto, con Drago empapado en sus brazos.

La madre estaba con el aspirador delante de su cama y le enseñó la toalla arrugada, manchada de verde y con señales de plátano.

—¿Qué significa esto?

—Es... es de Drago —dijo Ingo.

—¡No! ¡Es mía! Es mi toalla. La he buscado por todas partes y no sabía dónde la podía haber metido.

—Drago la necesitaba para su cueva.

—¿Qué cueva? Escucha, Ingo... —la madre estaba muy seria. Y le dijo que aquélla era una casa para personas, y que él no podía esconder debajo de su cama toallas ni plátanos.

Ingo no respondió, acarició la piel húmeda de Drago y le dijo:

—¡Todo te lo prohíben! No puedes

estar en el salón. No puedes estar en la cocina. Tampoco, debajo de la cama. Me gustaría saber dónde te ponemos.

—En la terraza —dijo su madre—. Le pondremos un cajón con serrín, para que se acaben de una vez las manchas.

AL DÍA siguiente llamaron a la puerta. Eran Miguel, Petra y su perrito, y querían saber por qué Ingo no iba más por el parque.

Ingo los llevó a su habitación.

—Os enseñaré el motivo.

Drago estaba jugando con la pelota de ping-pong. La empujaba con su hocico, y después corría detrás.

Miguel y Petra estaban tan asombrados que se callaron por unos segundos. Después gritaron:

—¡Es precioso! ¡Es maravilloso! ¡Y tan simpático...!

¿Podían jugar con Drago? ¿Lo podían coger en brazos?

Tantos mimos hicieron que el perro se pusiera celoso y empezara a ladrar.

Drago se escurrió, lleno de miedo, hasta debajo de la cama. Ingo se agachó y lo cogió. Mientras, Miguel sujetaba el perro por la correa.

Petra puso a Drago en sus rodillas. Lo dejó jugar en su falda y se rió porque le hizo cosquillas con sus diminutas uñas.

—¿Qué le dais de comer? —se interesó—. ¿Y qué hace el resto del día?

—¡Manchar! —dijo Ingo—. No hay forma de que sea limpio. ¿Cómo enseñasteis a vuestro perro?

—¡Uff! La verdad es que fue difícil. No aprendía ni a tiros. Hasta que la abuela no le refregó el hocico en el charco de pis que dejó.

—¿El hocico? —gritó Ingo enfadado—. Yo no haré eso con Drago nunca. Lo encuentro repugnante.

—Nosotros también —dijo Miguel—. Pero es lo único que funciona.

Petra acarició a Drago en el cuello y en la tripa y propuso ir al parque.

—A lo mejor es demasiado pequeño para eso —dijo Ingo—. Mamá dice que no es bueno sacar a la calle a los niños muy pequeños. A mí no me sacó hasta que yo tenía cuatro semanas. Y Drago sólo tiene dos días.

Eso le recordó la noche en que Drago salió del huevo, y se lo contó a sus amigos. Con los dedos les enseñó lo pequeño que era Drago entonces, y Miguel dijo:

—¡Pues ahora es tres veces mayor!

—Sí —dijo Ingo lleno de orgullo—. Es que crece muy deprisa, mucho más que yo.

—Y aún crecerá más en el parque —aseguró Petra.

Estaba deseando sacar a Drago de paseo para poder enseñárselo al resto de los niños.

SE ARMÓ un gran alboroto cuando aparecieron con el cochecito junto a la fuente del parque. Petra sacó a Drago de su cuna y lo enseñó a todo el mundo.

Todos los niños querían acariciarlo y cogerlo en brazos. Pero Drago no dejaba de girar la cabeza hacia la fuente, y pataleaba y gruñía. Así que Petra lo colocó en el borde de piedra y el animal, enseguida, se dejó caer al agua. Ingo gritó del susto, pero Drago nadaba tan tranquilo, mientras chapoteaba y salpicaba a los niños que estaban a su alrededor y lo miraban.

Tras el baño, se dedicó a corretear por el césped, y todos querían jugar con él. Al principio tenía un poco de vergüenza, pero enseguida se le pasó y ronroneó mimoso. Cuando Ingo lo puso de nuevo en el cochecito para volver a casa, todos los niños los acompañaron y, de pronto, habían inventado una nueva canción. Decía así:

Ingo empujaba el cochecito acompañado por Miguel y Petra, y estaba más feliz que nunca.

A partir de entonces volvió a ir

todos los días al parque. Allí se encontraba muy a gusto.

En casa no todo era tan fácil. Había algunos problemas.

Drago crecía.

Correteaba cada vez más deprisa por toda la casa, y si había algún armario que no estaba cerrado, ya estaba él dentro. Revolvía todo.

Ingo le reñía, pero Drago no le entendía y seguía corriendo de un lado a otro.

Cuando no estaba de acuerdo con algo, gruñía. Si se encontraba bien, ronroneaba. Y seguía creciendo sin parar.

Su apetito también aumentaba.

Hacía tiempo que comía varias lechugas y tres o cuatro plátanos diarios. Pero con eso tampoco se contentaba, así que se arrastraba de la terraza a la cocina y se colocaba junto al verdulero. No pedía nada, sólo levantaba la cabeza y, de vez en cuando, gruñía con cara de lástima. Así hasta que alguien sentía pena de él y le tiraba una zanahoria o una judía. No le gustaban las patatas ni los tomates. Pero los guisantes tiernos le encantaban.

Cada tarde aparecían Miguel y Petra para llevar a Drago al parque. Aún lo acostaban en el cochecito de muñecas, a pesar de que se le estaba quedando pequeño.

Los niños ya los esperaban en la fuente. Metían las manos en el agua, pero Drago las evitaba, como buen nadador que era, y seguía avanzando sin hacerles caso. Después del baño se paseaba por el césped y comía la fruta que los niños le regalaban.

El día en que hubo las primeras cerezas, Petra llegó con una bolsa llena y las repartió entre todos los chicos. La última, grande, redonda y roja, se la ofreció a Drago.

—Mira lo que tengo... —y le enseñaba la cereza.

Drago se incorporó sobre sus patas traseras y le quitó la fruta de las manos.

Los niños aplaudieron y lo jalearon.

—¡Bravo, Drago! —gritaban.

Un señor gordo pasó en aquel momento por allí. Se paró y le preguntó

a Ingo si quería venderle aquel animal
tan gracioso.

—¡No! —contestó Ingo enfadado.

—Te daría bastante dinero por él
—le dijo el señor—. Puede costar mucho dinero.

—¡No! —repitió Ingo.

Miró al caballero con mala cara y
colocó a Drago en su cochecito. Miguel y Petra también le echaron una
mirada enfadada y el perro gruñó. Los
tres acompañaron a Ingo y Drago a su
casa.

Mara tenía visita, su amiga Lina.

—Drago puede ponerse de pie —les informó Ingo—. Y un señor me lo quería comprar. Por un montón de dinero.

Mara y Lina no se lo creían; pero cuando vieron a Drago andar a dos patas por la habitación, comprendieron al señor.

—¡Ya lo creo! ¡Es divino! —gritó Lina—. ¡Y tan simpático...!

Mara estaba de acuerdo y dijo que también lo encontraba divino y simpático.

—¿Desde cuándo? —le preguntó Ingo extrañado—. Porque tú dijiste «puaff» y que era asqueroso y repugnante.

—Desde hace mucho —contestó Mara.

6

POR LA TARDE, Drago le demostró al padre de Ingo lo bien que se le daba andar con las patas traseras. Mientras caminaba, iba alternando los gruñidos con los ronroneos. De vez en cuando se caía, pero volvía a ponerse derecho y seguía valientemente hacia delante. El padre se rió y lo alabó:

—¡Drago se ha vuelto todo un muchachote!

E intentó que le diese la pata, como hacen los perros. Pero Drago no era un perro. Por primera vez resopló, pero tan bajo que sólo lo oyó Ingo.

—Todo un muchachote de verdad —repitió el padre—. Si no dejara manchas por todas partes...

—Ahora tiene su cajón en la terraza... —dijo Ingo.

—¡Pero no lo usa nunca! —gritó Mara—. Y el cochecito se le ha quedado pequeño.

Ingo dijo:

—De todas formas, ahora que ya puede caminar no lo necesita. Y por las noches puede dormir en la caja de cartón de la aspiradora.

—¿Y si sigue creciendo? —preguntó Mara—. ¿Y si se le queda también pequeña?

Ingo le iba a decir que podría dormir en el sofá del salón, pero su padre se le adelantó:

—Si Drago se hace más grande que la aspiradora, tendrá que marcharse.

—¡No, por favor! —suplicó Ingo—. ¿Adónde irá entonces?

Se arrastró con Drago hasta su cueva y le preguntó:

—¿No puedes crecer más despacio? Como yo, sólo un poquito cada año.

Drago apoyó la cabeza en el brazo de Ingo y ronroneó.

Pero siguió creciendo.

La madre se quejaba de todo el revuelo que organizaba Drago en la casa.

Con las uñas sacaba los hilos de las alfombras. Se restregaba por todos los muebles. Le gustaba, sobre todo, el sillón del salón. Rayó todo el barniz del suelo. Y como el sillón era bajo, subió con facilidad, metió las uñas en la funda y tiró con todas sus fuerzas, hasta que destrozó la tela.

—¡Drago no entrará más en el salón! —gritó la madre—. Vete y juega con él, Ingo.

También se quejaba del dinero que gastaba en comprar fruta y verdura.

—Tía Katia tenía razón —comentó—. Dijo que «Drago» significaba «que vale mucho», ¡y tanto que nos cuesta!

—Se refería a lo que valía, porque era tan cariñoso. No a lo que costaba —le corrigió Ingo.

Desde que Drago se podía poner en pie, las frutas y verduras del verdulero estaban a su alcance. Manzanas, peras, espinacas... se comía todo lo que encontraba y nunca quedaba satisfecho.

—¿Por qué está otra vez en la cocina? —gimió la madre—. Vete y juega con él, Ingo.

¿Jugar con Drago? A Ingo le hubiera encantado hacerlo. Lo intentaba, pero Drago no colaboraba. Sólo quería observar cómo jugaba Ingo, y molestarle lo más posible. Con las patas chafó las figuras de plastilina y las deshizo todas. Destrozó las casas que Ingo había construido. Volcó el bote de agua en el que Ingo limpiaba sus pinceles.

El tren eléctrico era lo único que lo asustaba. Cuando estaba en marcha, Drago se escondía en cualquier rincón. Cuando Ingo paraba el tren para guar-

darlo en la caja, Drago se atrevía a salir y arañaba la pintura brillante de los vagones.

—¡No me rompas todo! —gritaba Ingo.

Intentaba tener paciencia, pero a veces era muy difícil.

Pero cuando ocurrió lo del rompecabezas, se le acabó la paciencia. Había tardado un montón de días en hacerlo. Estaba casi terminado. Sólo faltaba una esquina pequeñita y, de repente, vino Drago, agitó la cola por encima del rompecabezas y no quedó nada. Ingo le pegó un empujón tan fuerte que Drago rodó por toda la habitación y fue a dar contra la puerta.

—¡Draguituko!

Espantado, corrió hasta él, lo abra-

zó y le aseguró que no quería hacerlo,
de verdad que no.

Su madre entró.

—¿Qué ha sido ese ruido? ¿Te has
hecho daño?

Ingo negó con la cabeza y le enseñó
el rompecabezas.

—¿Por qué me ha hecho esto? Siempre me fastidia. Yo nunca lo molesto.

—A lo mejor no le gusta que tú pases el rato con otras cosas —le dijo su madre—. Tal vez quiere que estés siempre con él.

—Pero, ¿eso es posible? —preguntó Ingo sorprendido—. Quiero decir: ¿es posible tener una persona para ti solo?

—No, eso no puede hacerlo nadie. Nadie pertenece a nadie. ¿Lo entiendes?

Ingo asintió, aunque no lo había comprendido del todo.

Su madre salió y el niño recogió las piezas del rompecabezas.

—Ya lo ves, Draguituko. Tú crees que yo te pertenezco y que me tienes para ti solo. Pero eso no es posible, porque nadie pertenece a nadie. ¿Lo entiendes?

Drago ronroneó suavemente. Ingo se alegró de que Drago no le guardara rencor por el empujón de antes.

PASÓ UNA SEMANA. Como el cochecito de muñecas se le había quedado muy, muy pequeño, Miguel y Petra trajeron un carrito.

—¿De dónde lo habéis sacado? —preguntó Ingo.

—De nuestro huerto —le dijo Petra.

—¿Desde cuándo tenéis un huerto?

—La verdad es que no es nuestro —dijo Miguel—. Lo que pasa es que tenemos la llave. Es de un tío nuestro. Pero es tan mayor que ya nunca va por allí. En vez de un huerto parece la selva.

—¡Eso es ideal! Seguramente allí se podrá jugar de maravilla —exclamó Ingo.

Miguel negó con la cabeza y Petra dijo:

—De ninguna manera. No es como un jardín. Está lleno de hierbas salvajes y de zarzas. Las ortigas y los cardos son más altos que nosotros. Y las hierbas se quedan prendidas de todas partes. Hasta del pelo.

—¡Qué lástima! —dijo Ingo.

Desde ayer andaba buscando un nuevo lugar donde jugar por las tardes. El día anterior había habido jaleo en el parque. Después del baño en la fuente, Drago se paseaba por el césped, como de costumbre, justo en dirección

70

hacia un niño que se estaba comiendo un plátano. El niño empezó a gritar, tiró el plátano y corrió hasta su madre. Drago no sabía qué hacer y fue hacia otros niños, que también empezaron a gritar y corrieron hasta sus madres.

Las mamás y las abuelas, que estaban sentadas en los bancos, se levantaron y le riñeron:

—¡Es un animal peligroso! Habría que ponerlo entre rejas y no traerlo al parque. ¡Tendría que estar prohibido!

Dos días más tarde pasó lo de la pelota de plástico. Era una pelota hinchable, grande y roja, que flotaba en la fuente. Su dueña era una niña pequeña. Dragó nadó detrás de la pelota, la abrazó con las pezuñas y apretó con todas sus fuerzas, hasta que la pelota estalló. La niña empezó a chillar como una descosida. Su abuela corrió hasta ella, sacó del agua los restos de la pelota y se los enseñó a Ingo.

—¡Tendrás que traer otra! —le dijo.

—¡Pero si no tengo ninguna! —contestó Ingo la mar de triste—. La mía la perdí. De todas formas, era mucho más pequeña...

Entonces, la señora dijo tranquilamente:

—Pues tendrás que darnos el dinero y nosotras compraremos una nueva.

Ingo pidió a Petra y a Miguel que cuidaran de Drago. Corrió hasta su casa, vació su hucha y volvió al parque.

Cuando llegó, Drago estaba debajo de un banco. Delante del banco estaba un chucho. Movía la cola contento y no tenía la menor intención de irse de allí. Había estado persiguiendo a Dra-

go, y ahora le ladraba indicándole que el juego tenía que seguir. La gente gritaba:

—¡El parque es para estar tranquilos! —chillaban.

—¡El parque no es para que los perros ladren, ni para que vayan detrás de los dragones! —chillaban.

—¡Si continúa esta locura, nos va a dar un ataque de nervios! —seguían chillando.

Ingo le entregó el dinero a la señora. Y los tres niños decidieron irse a otro sitio donde la gente no estuviera

tan nerviosa. O, mejor, donde no hubiera gente.

Montaron a Drago en el carrito y tiraron de él hasta que llegaron al final del parque. Allí estaba el último banco antes de llegar al seto. El perro quería seguir jugando, ladraba, y le daba a Drago con el hocico. Pero Drago no le hacía caso; se arrastró hasta el seto y lo recorrió de un lado a otro, como si buscara la entrada y no la encontrara. Ingo lo oyó ronronear y gemir. Los tres niños se sentaron en el banco.

—¿Qué te ha dicho tu madre cuando te ha visto coger el dinero de la hucha? —le preguntó Miguel.

—No mucho —contestó Ingo—. Ha suspirado...

Y como Miguel y Petra eran amigos suyos, les explicó lo difícil que era tener a Drago en casa. Su madre no paraba de quejarse. Su padre ya hacía tiempo que no llamaba a Drago «muchachote», sino «bicho cargante». Mara estaba todo el día protestando. Los tres estaban de acuerdo en que así no podían continuar.

—¿Qué puedo hacer si ya no lo quieren en casa y deciden echarlo?

Miguel dijo pensativo:

—Tenemos la llave del huerto. No es una maravilla, pero si no hay otra solución lo llevaremos allí.

7

UNOS DÍAS después ocurrió una nueva desgracia. Los dos ancianos que vivían en el piso de abajo subieron y se quejaron.

En ese momento Drago se entretenía empujando el recogedor de basuras. El ruido se oía por toda la casa. Los vecinos querían saber por qué había siempre tanto alboroto arriba. Y si la causa de aquellos ruidos molestos era aquel bicho tan desagradable.

Unos días antes se habían cruzado con Drago en la escalera y lo habían encontrado encantador y graciosísimo. Pero cambiaron de opinión desde que Drago comenzó a entretenerse tirando por el suelo el recogedor, las tapaderas de la cocina y los cepillos de limpiar zapatos, o cambiando de lugar los muebles de la terraza. Los dos ancianos movieron la cabeza enfadados y dijeron:

—Si no termina este alboroto nos quejaremos a la comunidad.

Ingo y su madre colgaron muy alto todos los recogedores, escobas y cepillos, para que Drago no pudiera alcanzarlos. Después pegaron unos trocitos de fieltro debajo de las patas de los muebles de la terraza.

—Estoy intrigada. ¿Qué nueva sorpresa nos reservará Drago para la próxima ocasión? —gimió mamá.

La sorpresa fue que, de repente, faltaron cosas. Al padre le desapareció la pipa. Una cuchara de café se perdió, y la encontraron debajo de la alfombrilla del baño. Una zapatilla también se evaporó; después descubrieron que era la causa de que el *water* estuviera atascado. Pero cuando desapareció la cinta azul del pelo de Mara, nadie la encontró.

Mara estaba invitada a la fiesta de cumpleaños de Lina. Con su vestido azul y el pelo suelto corrió por toda la casa buscando su cinta. Al cabo de un rato empezó a pensar que había sido Drago.

—¿Y cómo sabes tú que ha sido Drago? —le preguntó Ingo.

—¡Porque siempre es él! La pipa también se ha perdido. ¿Y ahora qué cinta me pongo en el pelo?

—¡La roja! —dijo Ingo—. Es igual de bonita.

—¡Eres tonto! —se enfadó Mara—. ¿Cómo me voy a poner una cinta roja con un vestido azul claro?

Su madre le aconsejó que se pusiera el vestido blanco con la cinta blanca, pero Mara gritó:

—¡No voy a hacer la Primera Comunión! Voy a la fiesta de cumpleaños de Lina y quiero llevar mi cinta azul, y no voy a cambiar de idea, y... y...

Y casi se ahoga de lo enfadada que estaba.

—Ya la encontraremos —le dijo su hermano.

—¿Encontrarla? ¡Llena de manchas verdes!

Y mientras se ponía el vestido blanco, repitió una vez más que a ella no había forma de que le compraran un tocadiscos y, en cambio, al señor Ingo le consentían tener aquel animalucho, que encima hacía desaparecer un montón de cosas...

Luego, se fue dando un portazo.

—Escúchame, Ingo —le dijo su madre—. Si no encuentra su cinta azul, le tendrás que comprar una nueva.

Ingo asintió, tristón.

—Pero... no me queda ni un duro.

—A mí tampoco. Hoy Drago se ha zampado las espinacas que se comería una familia entera. Debes comprender que el dinero que tenemos para mantenernos no da para cintas azules.

Ingo la miró.

—¿Y la pipa de papá? —preguntó—. ¿También tengo que comprarle una nueva?

—La pipa la he encontrado. ¿Adivinas dónde? En el cajón de Drago, en la terraza.

Ingo dijo contento:

—Entonces, el cajón sirve para algo.

—Sí, pero no para lo que estaba destinado. Lo pusimos por las manchas de Drago, no para la pipa de papá.

Era verdad que Drago no se preocupaba por el cajón. No lo había usado ni una sola vez, a pesar de que Ingo lo

llevaba hasta él después de todos sus
«deslices» y le decía:

—¡Aquí dentro, Drago! ¿Lo vas a
entender de una vez? Tú no eres tonto, Draguituko, tú eres inteligente. ¿Por
qué no me haces caso?

Drago lo escuchó, ronroneó y siguió
su camino. Su propio camino, que
nadie más que él podía comprender.
Ignoraba el cajón con serrín y la caja

de la aspiradora que habían puesto delante de la cama de Ingo. También le daba lo mismo el collar de piel amarilla y la correa que le había comprado tía Katia.

Cuando Ingo le tiraba de la correa, Drago se empeñaba en tumbarse y no había manera de que caminara, ni un paso siquiera.

—¿Te enseño cómo conseguirlo? —le preguntó Mara.

Le quitó la correa de la mano y arrastró a Drago por toda la habitación.

—¡Yo no puedo hacerle eso! —gritó Ingo—. Y prefiero ser así.

Le quitó el collar y Drago se escondió en su cueva, debajo de la cama. Era su escondite preferido. Pero tenía otros: el mueble de la máquina de coser y detrás de la cortina del cuarto trastero. Ingo se pasaba todo el día buscándolo por todas partes.

—¿DÓNDE está Drago? —preguntó Ingo unos días más tarde, después de recorrer toda la casa sin encontrar ni rastro del animal.

Mara y Lina estaban en el cuarto de los niños. Tejían unos guantes para el invierno, que les había encargado la profesora de labores.

—¿Habéis visto a Drago?

—No, y es una pena —dijo Lina—. Tengo tantas ganas de verlo... Mara me ha contado que ha crecido un montón...

De pronto se oyó un ruido en el armario de los zapatos. La puerta se abrió de golpe y Drago salió rodando.

—¡Ay! —chilló Lina—. ¡Qué susto me has pegado!

—Son las gracias de Drago —dijo Mara.

Lina se había quedado blanca del susto. Todos los puntos se le habían escapado de las agujas. Drago se dirigió enfadado hacia ella.

—¡No! ¡Quédate donde estás! —gritó Lina—. ¡No te acerques!

—No hace nada —le aseguró Ingo.

Pero Lina recogió su labor y se despidió.

Mara la acompañó hasta abajo. Cuando volvió, gritó:

—¡No aguanto más!

—¿El qué? —preguntó Ingo, como si no la entendiera.

—¡Todo! —contestó la niña—. ¡Todo lo que tiene que ver con Drago! ¡Y ahora me deja sin mi mejor amiga! Y

no podemos pasar ni una noche en paz...

Ingo quería tranquilizarla:

—Esta tarde lo encerraremos en la terraza, para que no moleste más.

Ingo obedeció a disgusto. Y, cuando Mara ya hacía rato que dormía, él aún estaba despierto. Escuchaba cómo Drago, afuera, gruñía y corría de un lado a otro. Hasta que se tiró contra

la puerta; una vez, dos veces, con todas sus fuerzas.

Ingo se levantó y le dejó entrar.

—¿Por qué no duermes? —le susurró—. Si no lo quieres hacer en la caja, échate ahí, delante de mi cama.

Pero Drago no le hizo caso. Recorrió la habitación oscura, barrió con la cola la ropa colgada de las sillas, se frotó la espalda contra el estante e intentó subirse en la cama de Mara, que se puso a gritar:

—¡Llévate enseguida este horrendo animal! Ya no podemos ni dormir.

—¿Ahora vuelve a ser horrendo? Tú y Lina dijisteis que era divino y simpático.

—Desde hace tiempo ya no lo es. ¡Es un monstruo! Y Lina ha dicho que no vendrá más a visitarme por culpa de Drago...

—No es un monstruo. Sólo es grande —dijo Ingo—. Si yo supiera qué hacer para que no crezca más...

—¡Come demasiado! —dijo Mara—. Si no le dieras tanta comida, crecería menos.

—¿Tú crees?

Ingo esperó la respuesta, pero Mara se volvió hacia la pared y no le habló más.

—Eh, Mara, siento que Lina se haya llevado ese susto. Dile que Drago no hace daño a nadie.

8

POR DESGRACIA, al día siguiente
Drago hizo otra de las suyas en el
parque. Ingo fue solo. Miguel y Petra
le habían prestado el carrito y se ha-

bían ido con su abuela al cine. Ingo se sentía un poco abandonado.

Cuando vio venir aquellos dos chicos, enseguida tuvo la sensación de que iba a pasar algo malo.

Los chicos se acercaron. Tiraron a Drago de la cola e intentaron hacerle cosquillas y pellizcarle la barriga.

—¡Dejadlo! —les advirtió Ingo—. ¡A vosotros tampoco os gustaría que os pellizcaran en la barriga!

—Sólo es una broma —dijo uno de los chicos.

—Hemos apostado a ver quién le tiene menos miedo —añadió el otro chico.

Sacó una manzana de su bolsillo y se la puso a Drago delante de las narices. Drago intentó alcanzarla, pero él retiró la manzana y dio un paso atrás. Drago quería perseguirle, pero el otro chico lo tenía cogido por la cola.

—¡Ya está bien! —gritó Ingo—. Lo estáis maltratando.

Drago resoplaba. De pronto estiró con tanta fuerza que obligó al chico a soltarlo. Se dio la vuelta a toda velocidad y le tiró al suelo. No le hizo nada, sólo se le puso encima y no le dejó levantarse. El otro muchacho echó a correr, pidiendo ayuda.

—Suéltale, Drago —le rogó Ingo—. Te han molestado, pero suéltale, por favor.

Cosa rara, pero Drago obedeció. Se apartó a un lado, el chico se levantó y salió corriendo, sin parar de chillar. Sólo tenía unos arañazos. Ingo pensó que todo había terminado, pero ocurrió algo horrible.

Una piedra voló por los aires.

Le dio a Drago en la cabeza.

Ingo sintió un nudo en la garganta. Rodeó con su brazo el cuello de Drago.

—¿Te duele, Draguituko? —le preguntó—. Ven, no nos quedaremos aquí ni un minuto más.

Drago intentó soltarse. Se levantó y estiró las garras. Quería luchar con sus enemigos, golpearlos con la cola y arrojarles piedras.

—¡No, Drago! ¡Por favor, no les hagas nada! —le suplicó Ingo—. Si no, todo será peor.

Cogió el carrito y metió a Drago dentro. No sabía de dónde había sacado la fuerza. Drago se rebelaba y chillaba. Después tiró del carro. A toda prisa atravesó el parque. Por fin llegó a casa.

—¿Cómo es que ya estás de vuelta? —le preguntó su madre cuando le vio llegar. Y siguió preguntándole cuando se fijó en su cara:

—Pero, por Dios, ¿qué te ha pasado?

Ingo le explicó lo de la piedra y su madre se asustó muchísimo. Abrazó a su hijo, como si fuera él y no Drago el que hubiera recibido la pedrada.

Ingo comenzó a llorar y metió la cabeza en el regazo de su madre.

—¡No volveré a ir nunca más al parque! ¡No volveré a ir a ningún sitio! ¡Mejor me quedo en casa...!

Drago, que aún estaba ceñudo y enfadado, se arrastró mientras tanto hasta el cuarto de los niños. Mara hacía los deberes. Drago se metió debajo de la mesa y la levantó.

—¡Ya te puedes ir marchando! —gritó Mara, y le pegó un pisotón.

¡Primero pedradas, luego pisotones! Era demasiado para Drago. Dejó caer la mesa y se abalanzó hacia donde

estaba Mara. La niña salió corriendo y gritando en dirección al salón, donde estaba su madre consolando a Ingo.

POR LA TARDE hubo consejo de familia. Mamá le explicó a papá todo lo que había pasado.

El padre dijo, mientras chupaba su pipa:

—Se acabó con Drago. Se lo daremos a alguien.

—¡Entonces también me podéis dar a mí! —gritó Ingo.

—¿Lo podemos vender? —preguntó Mara—. Una vez un señor en el parque... o, mejor, lo regalaremos.

—Lo mejor será que lo llevemos al zoológico —dijo el padre.

—¡Pero allí lo encerrarán! —gritó Ingo—. ¡En una jaula!

El padre cogió a Ingo y lo sentó en sus rodillas. Lo hacía siempre que hablaba de cosas serias con Ingo; de hombre a hombre, como él decía.

—Escucha, hijo. Aquí también está encerrado, aunque sea en la terraza, que es demasiado pequeña. En el zoológico lo tendrán en una jaula grande y hermosa. Ni siquiera en una jaula. Lo dejarán en un cercado. ¿Por qué no quieres permitírselo?

Encendió la pipa, dejó que Ingo apagara la cerilla y le siguió sosteniendo con las piernas.

—Sé razonable, hijo. No lo puedes tener siempre.

—Pero yo lo quiero —Ingo comenzó a llorar de nuevo.

—Ya sé que lo quieres. Pero, a pesar de eso, no lo puedes tener siempre aquí.

Ingo lloriqueó:

—¿Por qué no? Es mío.

Su madre le dijo con calma:

—No, Ingo, sólo ha sido tuyo mientras era pequeño y te necesitaba.

—¿Y ahora que es mayor? —preguntó Ingo—. ¿Ahora de quién es?

—De nadie. Sólo de sí mismo —contestó su madre.

Ingo siguió llorando el resto de la tarde. No podía parar. Estaba echado en la cama, con la colcha por encima

95

de la cabeza. Debajo de la cama estaba Drago en su cueva. El animal se restregaba la espalda contra el somier. Tenía en los hombros dos bultos que le escocían y le crecían.

Ingo ya le había preguntado a su madre si debían ir al veterinario para que les dijera la causa de esos bultos.

Mara entró en la habitación y, cuando oyó que su hermano gemía debajo de la colcha, se sentó en su cama.

—¡Para ya de berrear!

Subió los pies para que Drago no se los tocara.

—Venderlo o regalarlo —gimió Ingo—. ¡Eso es lo que habéis decidido! A nosotros nadie nos regalaría ni nos vendería.

—Pero, Ingo, no es lo mismo. Nosotros somos personas y Drago es un animal. Un animal rarísimo, que nadie sabe de dónde ha salido.

—Tú no lo quieres.

—No, yo no lo quiero —aceptó Mara—. ¡Es tan distinto!

—¡Yo también soy distinto! —afirmó Ingo.

—Eso no es cierto. Tú eres como muchos niños... Pero como Drago no hay nadie.

—¡Pues, por eso! —Ingo se sentó de golpe—. ¡No hay nadie como él! ¡Está solo! Y en vez de sentir pena por él, le das un pisotón y lo quieres echar.

—Yo no soy la única. Papá y mamá también, y los vecinos. Porque es más grande que ninguno de nosotros...

—Mara, hace poco me dijiste que si no le dábamos tanta comida, crecería menos. ¿Lo crees de verdad?

—Sí, es lógico. Pero tenías que haber empezado antes. Ahora ya es demasiado tarde.

AL DÍA SIGUIENTE era domingo, el domingo más triste de la vida de Ingo.

Llovía. Toda la familia se quedó más tiempo en la cama para descansar. A Ingo también le hubiera gustado hacerlo, pero Drago no le dejó tranquilo, exigiéndole su desayuno. Ingo fue a la cocina y le dio una lechuga y un plátano.

—No puedo darte nada más, Draguituko. Por favor, procura que se te pase el hambre.

Ingo estaba tan preocupado que le dolía el corazón.

Drago esperó. Gruñó con impaciencia. Y como no recibió ni un bocado más, se marchó de allí lleno de tristeza.

A la hora del desayuno —un buen desayuno de domingo— la madre de Ingo dijo:

—Hoy no haré comida al mediodía. Estamos invitados a casa de tía Katia, para celebrar su santo.

Mara se alegró; nadie hacía los pasteles tan buenos como tía Katia.

—¿Vendrá Drago también? —preguntó Ingo, aunque ya se imaginaba la respuesta.

—No, se quedará aquí —le contestó su padre.

Y sacó a Drago de debajo de la cama y lo llevó a la terraza.

—¡Pero si está lloviendo! —le replicó Ingo.

—No importa. A Drago le gusta el agua.

El padre cerró la puerta de la terraza y comprobó que también estaba cerrada la puerta que daba a la cocina.

Ingo permaneció en su cuarto y miró a través del cristal de la terraza.

—Drago, pórtate bien —le murmuró—. Tú puedes hacerlo. Tal vez así se les pase la idea de llevarte al zoológico...

Drago estaba sentado bajo la lluvia y le volvió la espalda.

A LAS DOS y media todos se marcharon de casa.

Drago se quedó solo. Durante un buen rato se dedicó a pasear entre los muebles empapados, hasta que los volcó. Tenía hambre y, como no encontró nada para comer, se subió a las jardineras y se comió todas las petunias. Se las tragó en un momento y no dejó ni las raíces.

Después se bajó y empezó a tirarse

100

contra la puerta del cuarto de los niños. Como no le abría nadie, hizo lo mismo con la puerta de la cocina, hasta que al final consiguió abrirla. Ronroneó contento y se echó encima del verdulero. En el estante de abajo había tres botellas, que la madre había comprado el día anterior: una de aceite, otra de vinagre y otra de zumo de frambuesa.

En el estante de en medio había patatas, que seguían sin gustarle. Pero en el de arriba encontró zanahorias y judías. Drago las olió con gusto, puso las patas delanteras sobre el borde del verdulero y comenzó a comer.

El verdulero se volcó, Drago se cayó y allá fue todo rodando. Las botellas se hicieron añicos, las patatas rodaron por toda la cocina.

Drago se acabó de comer las zanahorias y las judías que quedaron por el suelo.

Salió por la puerta de la cocina y se fue al recibidor. Por el camino tropezó con el paragüero. Lo tumbó; bastones y paraguas cayeron por el suelo. Drago siguió tranquilamente hasta el sa-

lón. Se subió en una silla; de la silla a la mesa, sin ni siquiera respetar el frutero que estaba en el centro. Comenzó mordiendo varios melocotones. Luego, probó las ciruelas. Finalmente, quedó tan lleno que no le cabía más, y se quedó dormido.

INGO y su familia también se sentían llenos y cansados cuando se despidieron de tía Katia. El pastel resultó exquisito.

A la hora de la despedida, tía Katia le envolvió a Ingo el último pedazo para que se lo diera a Drago. Aún llovía.

El padre dijo:

—Pasaremos el resto del día sentados cómodamente en casa. A lo mejor hay algo interesante en la televisión.

Cuando entraron en el portal, se encontraron con los dos ancianos, que bajaban las escaleras.

—Pero, ¿qué es lo que han hecho hoy? ¡Menudo ruido han metido! —les dijo el señor.

—¿Nosotros? —la madre negó con la cabeza—. No había nadie en casa. Seguramente se habrán confundido.

—¿Confundido? —el señor se puso rojo de indignación—. ¡Ruido en la terraza, ruido en la cocina, ruido en el recibidor! ¡Y un domingo!

Y se marchó sin despedirse. Ellos corrieron escaleras arriba.

Al abrir, tropezaron con el paragüero. El padre lo colocó en su sitio y se quedó con un bastón en la mano. La madre corrió hasta la cocina.

Pegó un grito, miró en la terraza, y al momento pegó otro grito. De la terraza corrió al salón, en donde estaba el padre con los niños.

Drago dormía encima de la mesa. Con las patas abrazaba el frutero. El tapete de la mesa estaba cubierto de trozos de ciruela y manchas verdes.

El padre levantó el bastón.

—¡No le pegues! —gritó Ingo—. ¡A nosotros no nos pegas!

La madre hizo bajar a Drago de la mesa y éste se marchó hasta su cueva.

—¡Llevadlo a la terraza! —ordenó el padre.

Ingo se metió debajo de la cama:

—¿Cómo has sido capaz de portarte así? ¡Lo has ensuciado y mordido todo! ¡Sal de ahí enseguida!

Drago no se movió.

—¡Sal a la terraza!

Ingo lo empujó por detrás, pero no hubo manera de moverlo. Entonces le enseñó el trozo de pastel de tía Katia, a ver si así se animaba a salir. Pero Drago había comido tanto que no se movió. A Ingo ya no se le ocurría nada para sacarlo de su escondrijo y tiró con fuerza de las patas delanteras del animal. Tiró de él por toda la habitación y casi chilló de desesperación. Drago resoplaba y, antes de que llegaran a la terraza, levantó la cola.

—¡No, Drago! ¡No vuelvas a empezar! —gritó Ingo indignado.

Pero era demasiado tarde. Una nueva mancha verde brillaba en el suelo.

Ingo fue a buscar un trapo.

—¡No tienes remedio, Drago! Si no lo aprendes de una vez, tendré que hacer contigo lo que hacen con los perros.

Lo cogió por el cogote y empujó la cabeza del animal hasta rozar la mancha. Drago se resistió, jadeó y le mordió a Ingo en la mano. Luego, salió tranquilamente a la terraza.

Ingo gimoteó. Notaba un peso que

le oprimía el corazón. Se miró la mano, se frotó un pequeño rastro de sangre, limpió la mancha verde del suelo y llevó el trapo a la cocina.

La madre barría los cristales rotos, en medio de un charco de vinagre, aceite y zumo de frambuesas. Papá le ayudaba.

—¿Qué tienes ahí, Ingo?

—¿Dónde?

—En la mano.

—Nada.

—¡Enséñamelo!

—De verdad, no es nada importante. Sólo un arañazo...

Mamá le miró la herida. Le puso una venda y le dijo:

—¿Ves cómo tiene que marcharse?

—Mañana temprano lo llevaré al zoológico —le dijo el padre—. ¡Y se acabó!

Cuando papá decía «se acabó», ya no había nada más que hacer. Todos lo sabían.

Ingo salió a la terraza. Aún llovía.

—¡Ven, Drago! ¡Nos vamos!

En el recibidor se puso su impermeable con capucha y todo.

—¿Adónde vas? —le preguntó mamá.

—Me marcho.

—¿Qué quiere decir «me marcho», Ingo? Quiero saber adónde vas.

—«Me marcho» quiere decir «me marcho» —contestó Ingo con terquedad.

—Pero aún está lloviendo.

—No importa. A Drago y a mí nos gusta el agua...

Ni el mismo Ingo sabía por qué contestaba de aquella manera. Tenía un lío en la cabeza. Ni siquiera sabía si quería a Drago de verdad, o si sólo lo quería para llevarles la contraria a los demás.

—¿Cuándo volverás? —preguntó mamá.

Tenía ganas de decir «nunca», pero mamá le miraba fijamente. Entonces se dio cuenta de que sentía miedo.

—Voy a casa de Miguel y Petra —dijo con prisa—. Luego iremos a algún sitio. Y después, volveré.

SACÓ EL CARRITO del cuarto de
las herramientas, puso a Drago dentro
y salió a la calle mojada. Miguel y
Petra vivían dos calles más allá. La

puerta estaba cerrada. Ingo llamó al timbre. En el primer piso se abrió una ventana y los dos chicos miraron hacia abajo.

—¡Hola, Ingo! Estamos viendo la televisión. Sube.

—¡No, bajad vosotros! —les gritó—. Y traed las llaves, ya sabéis cuáles.

Detrás de los chicos apareció la figura de la abuela. Ingo oyó cómo Miguel decía:

—Nos vamos a pasear, abuela.

—¿Adónde queréis ir? —les preguntó, igual que la madre de Ingo.

—A respirar aire puro —dijo Miguel—. Estar todo el día viendo la televisión no es sano.

—Tú misma lo has dicho muchas veces, abuela —dijo Petra.

—Además, hay que sacar el perro... —añadió Miguel.

—¡Si no, ya sabemos lo que puede pasar! —comentó Petra.

Le prometieron a la abuela que volverían pronto.

—¿Tenéis las llaves? —les preguntó Ingo cuando bajaron—. Tenemos que llevar a Drago al huerto.

110

Miguel sacó las llaves de su bolsillo y dijo:

—Aquí están.

EL CAMINO pasaba por delante del parque, que estaba precioso, tan mojado y tan verde.

—¿Está muy lejos? —les preguntó Ingo.

—No. Allí mismo, ya estamos cerca.

Dejaron la calle principal y llegaron a los huertos. Todo estaba en silencio, no se veía ni un alma.

—Cuando llueve, por aquí no pasa nadie —dijo Petra.

En los huertos crecían árboles frutales, arbustos y flores. Las casas estaban rodeadas de un césped verdísimo. Había un único huerto descuidado, lleno de hierbajos y de matorrales. Miguel abrió la verja oxidada. Metieron el carrito y lo inclinaron para que Drago pudiera bajar. En un momento, el animal había desaparecido entre las hierbas.

—¡No hay un escondite mejor! —gritó Petra—. Aquí nadie lo encontrará.

Se abrieron paso a través de los matorrales, hasta que llegaron a una caseta medio derruida. Allí guardaron el carro. Había un montón de trastos tirados por el suelo. Ingo tiró de un colchón viejo hacia fuera y les preguntó:

—¿Se lo puede quedar Drago?

—¿Dónde se ha metido? —dijo Miguel.

Los tres chicos comenzaron a buscarlo. Drago gruñía entre el follaje. Cuando al fin lo encontraron, estaba sentado bajo un árbol, con una pera medio mordisqueada entre sus patas.

—Con eso no tiene ni para empezar —dijo Petra preocupada—. Le tendremos que traer comida todos los días. ¿Os pensáis que va a vivir de las hierbas?

Ingo se encogió de hombros. Tenía una nueva preocupación. Fue hasta la verja a través de la que se veían unas rosas rojas y amarillas.

—¿Cómo son los vecinos? —preguntó—. ¿Son buenos?

—Vaya... —dijo Petra.

Un vecino cultivaba rosas. Drago se paseó por el borde de la verja y le pegó un bocado a un capullo medio abierto.

—¡No debes hacer eso, Drago! —le riñó Miguel asustado—. Nuestro vecino se pone furioso si le tocan sus rosas.

Ingo miró el jardín perfectamente cuidado. Habían pasado el rastrillo por el camino, el césped estaba recién cortado, había rosas de todos los colores. La verja no era demasiado alta, a

Drago le sería fácil saltarla. Ingo sabía que lo haría en cuanto tuviera ganas de comer capullos.

El otro vecino cultivaba todo tipo de frutas, y eso aún era muchísimo peor. En cualquier momento Drago iría a buscar todas las manzanas, peras y ciruelas que estaban tiradas por el suelo.

—¿En qué piensas, Ingo? —Miguel le empujó suavemente—. Tenemos que volver a casa. La abuela nos está esperando.

Antes de que se marcharan, Ingo le construyó a Drago una nueva cueva. Apoyó contra la pared de la caseta dos listones de madera y puso el colchón en medio para que a Drago no se le enfriara la barriga. Después cerraron la caseta y la verja del huerto y volvieron a casa. Ingo se quedó con la llave.

Ya anochecía. Miguel y Petra no paraban de hablar de lo feliz que iba a estar Drago en el huerto. Ingo permanecía callado. No estaba tan seguro...

CUANDO INGO entró solo en casa, todos le miraron con curiosidad.

—¿Dónde lo has metido? —le preguntó Mara.

117

—No te importa —le contestó Ingo.

El padre frunció el ceño.

—Claro que nos importa. ¿No nos vas a decir qué has hecho con él?

—Dejadlo tranquilo —les dijo mamá.

Y tampoco dijo nada cuando Ingo no quiso cenar y se marchó al cuarto enseguida.

Se metió debajo de la cama, en la cueva de Drago, pero eso no le hizo sentirse mejor. Las lágrimas tampoco le sirvieron de mucho.

Salió del escondrijo y se fue a la terraza, que estaba desolada con las jardineras peladas y el cajón de serrín vacío. Ingo cogió el cajón, lo llevó al patio y lo tiró en el cubo de la basura.

—¡Ya no te necesitamos! —dijo. Y tapó el cubo.

Por fin había parado de llover. En el cielo brillaban las estrellas, la luna resplandecía. Era un consuelo; también resplandecería sobre el huerto.

Por lo menos Drago no tendría miedo a la oscuridad...

«¿Qué estará haciendo?», pensaba Ingo. «¿No se sentirá abandonado, tan

solo en medio de la noche, en aquel huerto desconocido y salvaje?».

¿Y mañana? ¿Qué pasaría mañana?

Mañana luciría el sol. El vecino de las rosas y el vecino de las frutas volverían a sus huertos y casi les daría un síncope cuando vieran aquel animal desconocido a través de la verja. Drago, hambriento, se quedaría tan tranquilo mientras se comía todas las rosas y las frutas.

¿Y después?

Los dos vecinos armarían un escándalo, hasta que se enterara toda la gente del barrio, y alguien fuera a avisar a la policía...

¡No quería ni imaginárselo!

Ingo subió corriendo a casa y entró en la cocina. Le tenía que llevar a Drago algo de comer, para que dejara tranquilos a los vecinos. En el verdulero sólo había patatas. En la nevera, Ingo encontró un ramillete de perejil, un manojo de rábanos y un paquete de espárragos. Lo metió todo en la bolsa de la compra y cerró la puerta de la casa muy suavemente. Sus padres y Mara estaban viendo la televisión en el salón y no oyeron nada.

Era la primera vez que salía solo, tan tarde, a la calle. Tenía un poco de miedo. Y, cuando pasó por delante del parque, tan grande y tan oscuro, comenzó a correr. Llegó al huerto casi sin aliento. Le costó meter la llave en la cerradura. Al final, la puerta se abrió con un chirrido. Todo lo demás estaba en silencio. Ingo llamó a Drago por su nombre, primero en voz baja y, después, cada vez más alto.

—¡Drago! ¡Draguituko! ¿Dónde estás?

El huerto todavía parecía más salvaje, como si desde la tarde aún hubieran crecido más cardos y ortigas. Se abrió paso entre los rastrojos, buscó junto a la caseta. El colchón estaba vacío. Corrió hasta la verja para mirar en los huertos vecinos. Ni una huella de Drago. Al final se dio por vencido y se quedó parado. No sabía dónde buscar. No se oía nada. Sólo el viento de la noche movía las hojas.

De repente, oyó un ronroneo. Venía de arriba. Ingo levantó la cabeza y vio a Drago sentado en el peral.

—¡Drago! ¿Cómo has subido?

Drago ronroneó más alto. Estiró dos hermosas alas y planeó hasta abajo, directamente a los pies de Ingo.

Ingo notó cómo su corazón dejó de latir por un momento.

—¡Oh, Draguituko! ¡Ya... puedes... volar!

Intentó acariciarlo, pero Drago se fue para atrás. Ingo supo, aun sin acariciarlo, que los dos bultos de su espalda se habían convertido en dos alas.

—¿Ahora, te marcharás? —le preguntó.

122

Drago levantó la cabeza. La luz de la luna se reflejaba en sus ojos. De su garganta salió un sonido, que Ingo no había oído nunca. No era ni un ronroneo ni un gruñido; más bien una llamada extraña y melancólica.

—Pues vete cuando quieras... —le dijo Ingo.

Drago se volvió hacia la verja y emprendió vuelo, cortando el cielo con sus alas. Miró hacia atrás, por si Ingo lo seguía. Con un ronroneo le

indicó que lo acompañara. Aleteando salió del huerto y, por encima de los tejados, cruzó la calle, hasta llegar al parque.

Ingo intentó alcanzarlo, pero cada vez que se acercaba para tocarlo, Drago emprendía el vuelo. No se dejaba tocar. Continuó volando por encima del parque.

Cuando llegaron al seto, se labró un camino para cruzar. Las ramas crujían y se partían en dos. Ingo lo seguía. Detrás del seto estaba el prado, reluciente a la luz de la luna. No tenía fin, se perdía en el horizonte. Ingo se quedó parado. Drago apoyó su cabeza en el hombro del muchacho, cariñosamente, como hacía antes cuando era pequeño. Después aleteó hacia arriba, por encima de la hierba plateada. Silbó alto, describió dos círculos en el aire y subió hacia el cielo estrellado. Ingo lo siguió mirando, hasta que desapareció en lo alto.

—¿Adónde vas, Draguituko? ¿Muy lejos? ¿Hasta Dragolandia? ¿Donde nadie te tire piedras y te encierre en una jaula?

126

Dio la vuelta y corrió hasta casa. Hacía frío. A pesar de lo que corría, comenzó a tiritar. Tenía que ser muy tarde, las calles estaban vacías, como muertas.

Su madre se paseaba por delante de la casa. Cuando lo vio venir, salió a su encuentro.

—¡Ingo! ¡No debes de estar bien de la cabeza! ¡Marcharte así! ¡De noche!

Ingo se echó en sus brazos.

—Drago se ha marchado. Para siempre. Le han salido alas y se ha ido volando...

Ingo temblaba y su madre le arropó con su abrigo.

—¿Te duele que sea así? —le preguntó—. ¿Estás muy triste?

Ingo no supo responder y le dijo:

—Los espárragos, los rábanos y la bolsa de la compra... todo está en el huerto.

—No importa. ¿No me quieres contestar?

—No lo sé... —dijo—. Estoy triste por mí. Pero por Drago estoy contento. ¿Puedo estar triste y contento a la vez?

—Sí, claro que sí —contestó mamá—. Ya lo ves.

Ingo, cubierto con el abrigo de mamá, entró en casa. Poco a poco, el calor volvió a su cuerpo.